Ik vertel het niet!

Selma Noort
Met tekeningen van Jan Jutte

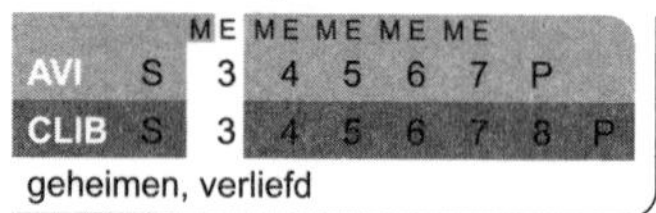

avi 3

1e druk 2007
ISBN 978-90-276-7418-0
NUR 287

Uitgeverij Zwijsen B.V., Tilburg
Vormgeving: Rob Galema

Voor België:
Zwijsen-Infoboek, Meerhout
D/2007/1919/290

Inhoud

Geheim

Josje heeft een geheim.
Ze weet het ineens.
Het komt door Wisse.
Wisse zit bij Josje in de klas.
Hij is nogal wild en erg druk.
De juf wordt wel eens gek van Wisse.
Niet echt, hoor.
Ze zegt het soms voor de grap.

De zon schijnt.
De ramen staan lekker open.
Josje ruikt fris gras.
Wisse is al klaar met zijn sommen.
Hij kijkt uit het raam.
De zon schijnt op zijn haar.
Het glanst mooi.

Wisse denkt diep na.
Waar denkt hij aan?
Om zijn mond ligt een klein lachje.
Josje kijkt naar Wisse.
Zij is nog niet klaar met haar sommen.
Maar ze vergeet te werken.
Wat ziet Wisse er lief uit.
En zijn ogen zijn zo mooi grijs.
Josje voelt ineens iets raars.
Haar hart klopt zo zwaar.
Ze voelt zich droevig en blij.
En ook een beetje slap.
Hoe kan dat nou?

Wisse kijkt op.
Hij ziet Josje.
Josje staart hem nog steeds aan.
Wisse tilt zijn hand een beetje op.

'Hoi,' zegt zijn hand.
Josje lacht naar Wisse.
Dan zegt de juf:
'Josje, ben jij al klaar met je sommen?'
Josje kijkt snel weer naar haar werk.
'Nee, juf,' zegt ze.
Dan zucht ze: nog drie sommen.
Ze zucht weer eens.
Wat raar, ze is op Wisse.
Dat wist ze eerst niet.

Is er iets?

Josje loopt naar huis.
Het is woensdag.
Ze heeft nu lekker vrij.
Wat zal ze eens gaan doen?
En wat doet Wisse thuis?
Speelt hij met zijn lego?
Of gaat hij naar buiten?
Soms ziet Josje hem wel eens lopen.
Dan laat hij de hond uit.
Het is een leuke hond.
Hij rent altijd met Wisse mee.
Vaak gooit Wisse een stok.
En die gaat de hond braaf halen.

Josje begint te hollen.
Eerst gaat ze naar huis.

En dan gaat ze ook naar buiten!
Dan ziet ze Wisse vast wel!

Papa is thuis.
Hij werkt vandaag niet.
Opa is er ook.
Hij komt papa helpen in de tuin.
Tim eet brood met ei.
Hij is de broer van Josje.
Mama bakt ook een ei voor Josje.
‘Wat ben je stil, Josje,’ zegt ze.
‘Is er soms iets met je?’
‘Nee hoor,’ zegt Josje snel.
Ze krijgt een kleur.
Tim kijkt op van zijn bord.
‘Kijk, Josje wordt rood!’ plaagt hij.
Nu kijken opa en papa ook.
‘Nou zeg, je hebt een kleur!’ zegt papa.

Josje neemt een hap brood met ei.
Ik vertel het niet! denkt ze.
Ze zit heel gewoon te kijken.
Maar daar trappen ze niet in.
O, nee!

Niks aan de hand

Oei, ze kijken naar Josje.
Papa, mama, opa en Tim.
'Eens denken,' grijnst Tim.
'Mijn zus Josje krijgt een kleur.
Waarom zou dat zijn?'
Opa is ook gek op plagen.
'Ik weet het,' zegt hij.
'Er is vast een leuke jongen.
Eentje bij Josje in de klas.
Onze Josje is vast verliefd!'
'Ja?' vraagt Tim meteen.
'Ben jij op iemand, Josje?'

Josje pakt haar glas melk.
Ze neemt snel een paar slokken.
Zo kan ze even denken.

Niks zeggen Josje, denkt ze.
Het moet geheim blijven.
Ze zet haar glas weer neer.
En dan schudt ze haar hoofd.
'Nee hoor,' zegt ze vlug.
'Er is niks aan de hand.'

Papa en mama moeten lachen.
Papa plaagt haar nu ook al.
'Zeg het maar, hoor.
Is hij leuk en knap en aardig?
Kennen wij hem soms?'
Maar Tim doet wel heel gek!
Hij roept: 'Ik weet het al!
Josje is op de meester van groep zes!'
Josje stikt bijna in haar brood.
'Je bent niet goed wijs!' roept ze.
Papa en mama lachen hard.

Opa kijkt de tafel rond.
'Is dat dan geen leuke man?' vraagt hij.
'Hij is al stokoud!' roept Josje.
'En hij lacht heel eng!
Net alsof hij de hik heeft!'

Pim, Mark of Joep?

Mama kent de meeste jongens uit de klas van Josje.
'Is het Pim soms?' vraagt ze.
Josje schudt haar hoofd.
'Nee, die peutert altijd in zijn neus!'
Opa trekt een vies gezicht.
'O bah, dat moet je niet hebben!'
'Mark dan, met die bruine krullen?' vraagt mama.
Josje schudt haar hoofd.
'Die houdt alleen maar van voetbal!'
Dat snapt Tim nou weer niet.
'Dat is toch juist leuk?' vraagt hij.
'Maar ik houd niet van voetbal!' roept Josje.
Mama denkt dat ze het nu weet:
'Maar dan ben je vast op Joep!'
'Joep?' Josje denkt na.

Joep is heel aardig.
Ze speelt vaak met hem op het plein.
Maar Joep is al op iemand anders.
'Joep gaat al met Rosa,' zegt ze.

Tim probeert nu slim te zijn.
'Wacht, we doen het zo!' zegt hij.
'We stellen om de beurt een vraag.
En ik mag eerst, goed?'
Josje is er klaar voor.
Ze verklapt toch niks.
Ze krijgen haar geheim heus niet!
'Hoe ziet hij eruit?' vraagt Tim.
Josje begint te lachen.
'Hij is heel erg lang,' zegt ze.
'Hij heeft vet haar.
En op zijn neus zitten pukkels.
Hij heeft een groen oog en een blauw oog.

Hij heeft rotte tanden.
Er zit altijd snot aan zijn neus.
En hij stinkt naar een ui.'
Zo, ha ha!
Ze zijn er stil van.

Vertel het dan!

Het was een slimme grap van Josje.
Het is nog steeds haar geheim!
Josje helpt mama met de afwas.
Papa en opa zijn in de tuin.
En Tim maakt zijn huiswerk.
Nu en dan kijkt mama opzij.
O, wat wil ze het graag weten.
Josje ziet het aan haar gezicht.
Ja hoor, daar begint mama alweer:
'Ik vertel nooit een geheim verder.'
'Nee, dat moet ook niet,' zegt Josje.
'Dus je kunt het best zeggen,' plaagt mama.
'Maar dan is het geen geheim meer,' zegt Josje.
Mama trekt een raar gezicht.
'Een geheim voor ons twee,' plaagt ze.
'Dat bestaat ook, hoor.

Vertel het dan, Josje van me ...'
Josje droogt een bord af.
Ze denkt weer diep na.
Daar zegt mama wel iets.
Josje zóú het kunnen zeggen.
Dan deelt ze haar geheim met één iemand.
Maar als mama haar geheim dan weer deelt?
Met papa?
En papa deelt haar geheim met opa?
En opa deelt haar geheim met Tim?
En Tim deelt haar geheim met een vriend?
Zo gaat het dan verder en verder.
Dan is het geheim geen geheim meer.
Josje schudt haar hoofd.
'Nee, ik zeg het toch niet!'
Mama kijkt spijtig.
Maar ze lacht toch ook naar Josje.
'Jij bewaart je geheim wel goed, hoor!

Ik vind het heel knap van je.
En nu plaag ik je niet meer.
Bedankt voor het helpen.
Ga maar lekker naar buiten, schat!'

Mispoes!

Josje denkt aan Wisse.
Die heeft vast ook zijn brood al op.
Zou zijn hond nu moeten plassen?
Dan laat hij hem uit.
En dan kan Josje hem zien.
Ze kan naar hem toe gaan.
Ze vraagt gewoon: 'Mag ik mee?'
Dat mag vast wel van Wisse.
Hij keek toch naar haar?
Dus hij vindt haar ook leuk.
In elk geval een beetje.

Daar zijn opa en papa.
Ze knippen de heg.
'Ha, die Josje!' roept opa.
'Ga je naar buiten, meisje?'

Josje knikt.
Ze wil snel langs opa heen glippen.
Maar dat lukt niet.
Opa staat in de weg.
En hij gaat niet opzij.
'Ik weet het,' zegt hij.
'Je bent op de man van het vuilnis!'
'Nee, mispoes!' zegt Josje.
'Je bent op de visboer!'
'Nou opa, echt niet!'
'Dan eh ... op de buurman.
Of op de jongen van de krant.
Of op de man van de post!'
'Nee, nee, en nog eens nee!' lacht Josje.
'Je raadt het toch niet, opa!'
Ze geeft opa een zacht zetje.
Dan stapt hij opzij.
Papa roept nog:

'Het is vast de jongen uit de winkel!
Of die jongen die altijd met zijn hond loopt!'
Oei, Josje voelt haar wangen weer rood worden.
'Jullie hebben het mis!'
Ze holt snel de tuin uit.
De wind is koel op haar gezicht.
Oef, ze is weg.
Dat viel niet mee!

Het valt niet mee

Een geheim valt niet mee.
Je mag het niet zeggen.
Je mag het alleen maar denken.
Josje let steeds goed op.
'Pffff!'
Ze puft ervan.

Ze loopt langs de school.
Het is er stil.
Binnen is de juf nog aan het werk.
Ze ziet Josje niet.

Waar loopt Wisse meestal met zijn hond?
Waar zag Josje hem toen ook alweer?

Ze begint te hollen.

Ze weet het ineens weer.
Op het veldje achter het zwembad!

Josje heeft geluk.
Wisse loopt daar met zijn hond.
Zijn handen heeft hij in zijn zakken.
Nu en dan schopt hij in het gras.
Waar zou hij aan denken?
Josje denkt aan Wisse.
Ze staat naar hem te kijken.
Zou Wisse nu ook aan Josje denken?
Hij ziet haar nog niet staan.

Josje loopt naar Wisse toe.
'Hoi!' zegt ze.
Wisse kijkt verrast op.
'Hoi!' zegt hij.
'Hoe heet jouw hond?' vraagt Josje.

'Snuf,' zegt Wisse.
'Hij steekt altijd zijn neus in dingen.
Daarom heet hij zo.'
Josje aait Snuf over zijn zachte oren.
Snuf ruikt aan haar hand.
Zijn staart zwiept heen en weer.

'Had je nou je sommen af?' vraagt Wisse.
Josje knikt.
'Alleen die laatste niet,' zegt ze.
'Ik ben goed in sommen,' zegt Wisse.
En dat is echt waar.
Hij schept niet op.
'Ik houd niet van sommen,' zegt Josje.
Wisse lacht.
'Nee, jij droomt liever,' zegt hij.
'En dan let je niet op.'
Hoe weet hij dat nou?

Kijkt hij dan wel eens naar Josje?
Josje gooit een stok.
Snuf holt achter de stok aan.
Maar hij brengt hem naar Wisse.
‘Omdat ik zijn baasje ben,’ zegt Wisse.

Alleen jij en ik!

Het is leuk met Wisse.
Hij is druk en wild.
Maar hij is ook erg aardig.
En hij heeft zulk mooi haar!
Josje krijgt het er warm van.
Dan zegt Wisse ineens:
'Ik heb een geheim.'
Josje schrikt ervan.
'Wat dan?' vraagt ze.
'Dat is geheim!' zegt Wisse met een lach.
'Maar ik verklap het een beetje, goed?'
Hij komt vlak bij Josje staan.
'Mijn geheim gaat over jou,' zegt hij zacht.
Josje durft niet naar hem te kijken.
'Ik heb ook een geheim,' fluistert ze.
'En mijn geheim gaat over jou.'

Ze zijn een poosje stil.
Dan zegt Wisse:
'Niemand weet het, goed?
Alleen jij en ik!'
Josje knikt.
'Goed,' belooft ze.
'Het is ons geheim, alleen van jou en mij.
En van niemand anders!'

Frank Smulders
De heks op de ijsberg

Tien hoog in de stad woont Loes.
Op een nacht hoort ze iets geks.
Ze schuift het gordijn op een kier.
Er zit een zwaan op het balkon!
De zwaan kijkt droef.
'Ik ben een prins.
Een heks heeft mij in haar macht.
Wil jij me redden?'

Met tekeningen van Hugo van Look

Dirk Nielandt
Dievenschool

Rolf komt uit een familie vol dieven.
Zijn opa, zijn vader ...
Rolf moet van zijn vader ook dief worden.
Zijn vader stuurt hem naar de beste dievenschool
van het land.
Rolf leert er stelen, liegen en bedriegen als de beste.
Maar hij ontdekt er ook iets.
Iets wat hij maar beter geheim kan houden ...

Met tekeningen van Helen van Vliet